Rudolph Bauer: **Zur Unzeit, gegeigt**

Rudolph Bauer

Zur Unzeit, gegeigt

Politische Lyrik und Bildmontagen

V.

VI.

VII.

IIX.

Nach vielen Zeugnissen der Alten war Poesie
bei ihnen vom stärksten Einflusse auf die Sitten.
Sie, die Tochter des Himmels, soll den Stab
der Macht gehabt haben, Tiere zu bändigen,
Steine zu beleben, den Seelen der Menschen
einzuhauchen, was man wollte.
Herder

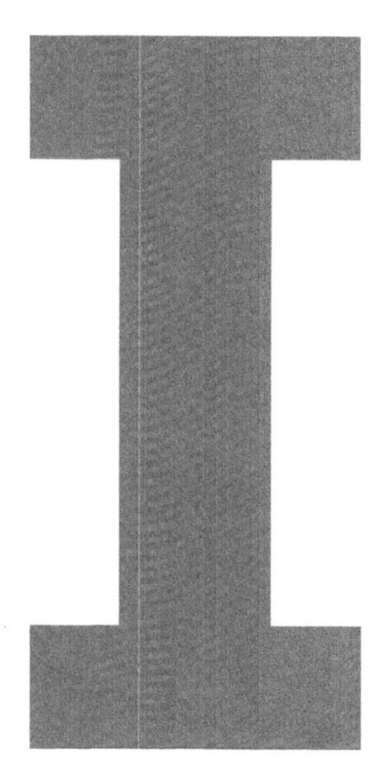

Eirene, Friedensgöttin

eirene
göttin des friedens
mit dem horn einer ziege
der amme des zeus

eirene
göttin des friedens
mit dem füllhorn von glück
mit früchten geschmückt

eirene
göttin des friedens
mit dem reichtum der ernte
im goldherbst

eirene
mit den duftleuchtenden
knopsen der flora
im frühling des friedens

Artemis, Täler liebte sie

vom fieber der jagd
auf python den drachen
gegen die macht der giganten
ergriffen sind artemis
göttin des mondes
und bruder apoll der lichtgott

täler liebte sie
wiesen quellen und flüsse
alles wild ist ihr lieb und geweiht

welch ein schuft
aber hat
aus ihr dann
die göttin des krieges geschmiedet

als kind auf den knien
des vaters beim spiel
erbat sie von zeus
sich kretische nymphen
zum tanz ozeanische töchter
reinheit bogen und pfeil

welch ein schuft
aber hat
aus ihr dann
die göttin des krieges geschmiedet

sie wünschte sich
eine einzige stadt
den frauen zu helfen bei der geburt
und berge um dort
zu wohnen zu leben zu tanzen
zu spielen zu nehmen ein bad

welch ein schuft
aber hat
aus ihr dann
die göttin des krieges geschmiedet

Marmor, Schlüssel

der schlüssel unter einem stein
der marmor ist und eine stufe war
zu einem heiligtum zu einem tempel
zu einem vestibül von priesterinnen
von hetären wo kieselmosaike
wasserpferde zeigen vielleicht auch
eine säule ein siegesobelisk das tor
zu den gefängnissen zu höllenqualen
ein pflasterstein auf der agora zu athen
das bruchstück eines grabmals
beim schiffstransport im sturm
gekentert und versunken dann
vom meer an land gespült
wo eine hütte steht verschlossen
wie dein mund dein herz
die friedenspforte
für die der schlüssel unter einem stein
der marmor ist und eine stufe war
zu einem heiligtum ...

ΣΑΜ
ΣΤΑ ΓΕ
ΠΡΟ
ΑΝΤΙΣΤ
Αγοράζουμε μό
Ελληνικά προϊό
με barcode 520
αγοράζουμε
Ελληνικά προϊό
για να μείνουν
χρήματα μας στ
τόπο μας !
ΑΓΟΡΑΖΟΝΤΑ
ΝΑ ΜΗ

ΚΑΤΑ ΤΟΥ 4ΟΥ ΡΑΪΧ
ΙΚΑ ΠΡΟΪΟΝΤΑ ΒΟΗΘΑΜΕ ΣΤΟ
ΥΝ ΜΙΣΘΟΙ & ΣΥΝΤΑΞΕΙΣ

Xenophons Reitkunst

als jugendlicher folgte xenophon dem sokrates
der fragte ihn zuerst wo man sich essen besorgt
dann aber wie der mensch edel wird und wodurch
tüchtig

xenophon im heerzug von kyros dem perser
kam mit zehntausenden griechischen söldnern
ins reich jener achämeniden zu der geflügelten
sphinx

die truppen wurden geschlagen zogen zurück
ans schwarze meer unerwünscht von den athenern
dient xenophon sparta das ihn mit einem landgut
belehnt

dort lebte xenophon glücklich und schreibend
werke der philosophie geschichte und wirtschaft
verfasser eines schmalen aufsatzes über die
reitkunst

nur diese schrift besitzt heute noch geltung
nicht die söldner und der heerzug kyros des
persers
nicht erwünscht zu sein von athen und die anderen
werke

Yggdrasil, der Weltenbaum

ein adler
namenlos sitzt im geäst
der krone die den himmel trägt
den habicht zwischen seinen augen
am fuße mit drei nornen
der brunnen
zwei schlangen saugen an den wurzeln
an einer nagt der drach
eichhörnchen klettert
mit böser nachricht
zwischen drach und adler
und unter seinen zweigen
tagt das gericht der götter
um über menschenschicksal zu bestimmen

der weltenbaum
der lebensbaum
der opferbaum
der wissensbaum
der schreckensbaum
der friedensbaum
der galgen ross
und der gehängte reiter
bedenkt das weltenende wenn sie bebt

Die Kriegs- und Friedensposaune lassen also
gern alle neun Musen liegen und
beweinen höchstens Blutvergießen,
Hunger, Krankheiten und gekränkte Rechte
der Menschheit von beiden Seiten.
Herder

Novemberrevolution 1918

die matrosen in kiel wilhelmshaven stade und emden
weigerten sich auszulaufen
mit den kriegsschiffen in den nassen den sicheren tod

die soldaten im feld an der front in schützengräben
weigerten sich zu fallen
in glitschigem matsch aus blut urin und gedärmen

die arbeiter in den fabriken fleißig am fließband
weigerten sich herzustellen
waffen und kriegsgeräte statt töpfe und pfannen

die arbeiter auf den werften und an der drehbank
weigerten sich schiffe
zu bauen und kanonen zu bohren aus kruppstahl

ihre schuftenden hungrigen frauen hinter der front
weigerten sich zu gebären
neue soldaten und neue mädchen für neue soldaten

in den dörfern die bauern auf äckern feldern und wiesen
verweigerten abzuliefern
die ernte die rinder und schweine die knechte fürs heer

matrosen soldaten arbeiter frauen die bauern das volk
statt fortzusetzen befohlenes
morden jubelten laut lang lebe der frieden die freiheit

matrosen soldaten arbeiter frauen die bauern das volk
verjagten den deutschen kaiser
verschonten sträflich jedoch generale richter und chefs

matrosen soldaten arbeiter frauen die bauern das volk
vertrauten den noskes
diese begrüßten den aufstand und befahlen sodann

die mutigen kämpfer und frauen der roten revolution
niedermetzeln zu lassen
zur wiederherstellung angeblich von ruhe und ordnung

zur wiederherstellung von ruhe und ordnung das heißt
um den weg frei zu schießen
für den aufstieg und sieg des imperialismus und der
faschisten

Deutsche Neunte November

kein tag wie jeder andere
an dem in deutschland revoltierten
soldaten arbeiter matrosen
die bauern und die weiber standen auf
sie siegten dann

kein tag wie jeder andere
an dem die nazi-grätze synagogen
und judenläden lynchte
auf befehl von oben und devot
im führerwahn

kein tag wie jeder andere
an dem die grenze die gemauert
trennte ost und west
sich als schimäre hat erwiesen
für bananen

kein tag wie jeder andere
an dem die deutsche staatsräson
mit reichskristallgedenken
den sieg der freiheit überglänzt
des friedens glück

kein tag wie jeder andere
an dem das geldvereinte deutschland
mit dumpfen böllerschüssen
das glück des friedens überdröhnt
der freiheit sieg

kein tag wie jeder andere
an dem weil rebellion erfolgreich
war und rote räte siegten
ihr scheitern hochgejubelt wird
ersäuft im blut

kein tag wie jeder andere
an dem ein falsch erinnern wabert
welches die mörder-bande
feiger burschenschafter zum retter
hochstilisiert

kein tag wie jeder andere
an dem man eines „unrechtsstaats“
gedenkt und des pogroms
die freikorps-schlächter aber laufen lässt
liebknecht ist tot

kein tag wie jeder andere
an dem der herbst die blätter färbt
die nächte finster sind
indes vom lichterglanz des friedens
geschwiegen wird

kein tag wie jeder andere
während das jahr dem ende zu geht
die nächte länger sind
bleibt unsre sehnsucht unsre kraft
die rebellion

März 1920, acht Sonette

1.

im märz des jahres neunzehnzwanzig
ein herr kapp zu regieren fand sich
es putschten preussische reaktionäre
dem hollenzoller wilhelm zur ehre

der hat sich nach holland verkrochen
von den ruhrindustriellen bestochen
besetzten freikorps der marinebrigade
die hauptstadt berlin sie zogen zu rate

armeegeneräle wie walter von lüttwitz
marschierten auf mit kanonengeschütz
hakenkreuz und faschistisch verrohten

mörderbanden um zu töten die roten
um auszulöschen die hoffnung auf die
neue proletarische demokratie

2.

ein klassenbündnis hatten beschlossen
gewerkschaftskollegen und genossen
aus U.S.P.D. S.P.D. kommunisten
angestellten und werktätigen christen

selbst bürger begrüßten mutig nicht feig
die massenbewegung zum generalstreik
in den rheinisch-westfälischen industrien
in thüringen mecklenburg und in berlin

im kohlenpott auch unter den sachsen
ist die wut auf die reaktionäre gewachsen
die arbeiter stemmten sich ihnen entgegen

der freikorps-putschismus war unterlegen
und die arbeitermassen siegten für die
neue proletarische demokratie

3.

in essen eroberten rebellisch aufbrausende
die feindeskanonen und an die zehntausende
in bochum westfalens eisenhüttenstadt
besiegten putschisten und den verrat

bekämpft wurden die verräter nicht
von den regulären truppen was ihre pflicht
beschönigend hieß es aus feldherrnsicht
„reichswehr schießt auf reichswehr nicht“

fünfzigtausend männer und sanitäterinnen
der roten ruhrarmee kämpften nahmen binnen
kurzer zeit sechshundert der feinde in haft

verschonten deren leben und wurden bestraft
dafür weil sie nicht blutgierig töteten für die
neue proletarische demokratie

4.

in schreck um den erhalt ihrer macht im staat
denn die arbeiter planten zentral einen arbeiterrat
befahl ängstlich nunmehr in dumpfer verwirrung
der reichswehr die flüchtige reichsregierung

auf jene arbeiter ohne rücksicht zu schießen
welche zuvor streiken und bluten sie ließen
welche erst gegen die putschisten aufgerufen
jetzt verjagt wurden von den marmorstufen

politischer macht arbeiter sollten wieder klein
sich unterordnen gehorchen und fleißig sein
nicht einfluss zu nehmen auf das regieren

war ihnen bestimmt sondern abzuschmieren
in demut und dank erhalten sollten sie nie die
neue proletarische demokratie

5.

mitmörder an der reichswehr seite waren
auch freikorps-truppen die zuvor in scharen
den sturz der regierung in berlin proklamiert
die ihrerseits an deren mordinstinkt appelliert

hunderte von arbeitern und samariterinnen
wurden brutal und gnadenlos von ihnen
umgebracht es fanden standgerichte statt
massenerschießung galt dem proletariat

hingerichtet wurden zivilisten auch publico
wenn jemand schon verletzt war ebenso
als dies „gesetzwidrige verhalten“ später

verboten war erklärten scheinheilig die täter
„erschossen auf der flucht“ fangschuss für die
neue proletarische demokratie

6.
die mörder der werktätigen männer genossen
die rückendeckung eines S.P.D.-genossen
des friedrich ebert des wahrlich horrenden
wirts sattlermeisters und reichspräsidenten

zuständig an eberts seite für das militärische
war minister gustav noske der luziferische
ebenfalls sozialdemokrat und missetäter
der sozialisierung rotbrauner verräter

der kapp-putsch wurde niedergeschlagen
von den arbeitermassen ?noch fragen
das militärmassaker an arbeitern hingegen

erfolgte mit sozialdemokratischem segen
so wurde die hoffnung gemeuchelt auf die
neue proletarische demokratie

7.

im märz des jahres neunzehnzwanzig
ein herr kapp zu regieren fand sich
es putschten preussische reaktionäre
dem hollenzoller wilhelm zur ehre

ein klassenbündnis hatten beschlossen
gewerkschaftskollegen und genossen
aus U.S.P.D. S.P.D. kommunisten
angestellten und werktätigen christen

bekämpft wurden die putschisten nicht
von den regulären truppen was ihre pflicht
beschönigend hieß es aus feldherrnsicht

„reichswehr schießt auf reichswehr nicht“
und so schaufelten das grab sie für die
neue proletarische demokratie

8.

in schreck um den erhalt ihrer macht im staat
denn die räte planten zentral einen arbeiterrat
befahl ängstlich nunmehr in dumpfer verwirrung
der reichswehr die flüchtige reichsregierung

auf jene arbeiter ohne rücksicht zu schießen
welche zuvor streiken und bluten sie ließen
welche erst gegen die putschisten aufgerufen
jetzt verjagt wurden von den marmorstufen

politischer macht arbeiter sollten wieder klein
sich unterordnen gehorchen und fleißig sein
hunderte von arbeitern und samariterinnen

wurden brutal und gnadenlos von ihnen
umgebracht so starb auch hoffnung auf die
neue proletarische demokratie

Parteigeschichte

das kriegsrüstungserbe
der partei
dienst am vaterland
auf französische
genossen geschossen
keine versöhnung
kein verzeihn

das antirevolutionäre erbe
der partei
staatsordnung hergestellt
arbeiter abgeknallt
genossen erschossen
keine träne war
keine scham

das weimarer republikerbe
der partei
betriesbsräte statt räterepublik
kameraden verraten
hitler unterschätzt
keine einsicht war
keine furcht

das westzonenerbe
der partei
arbeiter angeführt
genossen den bossen
gegen die roten
klassenkampf war nicht
nur verrat

das DDR-erbe
der partei
zur SED vereinigt
marxismus als dogma
elend gescheitert
zusammen gehörendes
kommt zusammen

das rot-grüne erbe
der partei
scharpings humanitärer
schlag mit bomben auf belgrad
anno neunzig-neun
keine sühne war
kein kniefall

das schrödersche erbe
der partei
tony blair's new labour
wer kündigt der sündigt
fordern statt fördern
kein bewusstein von schuld
nicht reuig

das merkelliberale koalitionserbe
der partei
grauen statt vertrauen
abwandernde wähler
zu den retrofaschisten
kein profil keine vision
null zukunft

Zur Unzeit gegeigt

Hans Henny Jahnn und Otto Nebel gewidmet

anno 1813
nach den napoleonischen kriegen
schrieb der großdichter goethe
in der kutsche nach teplitz
auf der flucht vor unruhen
die ballade vom totentanz

Der Kirchhof, er liegt wie am Tage.
Da regt sich ein Grab und ein anderes dann:
Sie kommen hervor, ein Weib da, ein Mann
in weißen und schleppenden Hemden

anno 1930
erhielt der schriftsteller
hans henny jahnn
den auftrag der nordischen gesellschaft
zu lübeck ein festspiel zu schreiben
den „neuen lübecker totentanz“

arbeitslose und polizei
bildeten die chöre des festspiels
der tod ist feist heißt
system kein weib da kein mann
in weißen und schleppenden hemden

die bürger lübecks verwarfen das stück
als unchristlich zu pessimistisch
die aufführung unterblieb

anno 1951
wurde das verworfene stück
„neuer lübecker totentanz“
des hans henny jahnn uraufgeführt
durch die lesebühne
der kammerspiele zu hamburg

anno 1963
theater-aufführung durch die studio-
bühne der universität hamburg
„ … und es ist fürchterlich“
schimpfte die bergedorfer zeitung
„ … ging den studenten völlig daneben“
die welt am sonntag

…

zur unzeit gegeigt
einst verworfen
erneut verworfen
heute vergessen
zur unzeit gegeigt

Was für Sitten kann ein Tempel
der Dichtkunst stiften, wo Wechslertische
und Taubenkrämer, Rezensenten und
Ochsenhändler ihr Gewerbe treiben?
Herder

Mehr als 40 Wölfe wurden bis
sen nachgewiesen.

Y DIVIS
ARMY

Feierabend

zwischen arbeitsende und abendbrot
wenn der druck sich steigert
wenn die kinder im supermarkt brüllen
weil sie der nähe und liebe ermangeln
blicken die eltern gehetzt mit wilden augen

später dann nach abendbrot und tagesschau
rückt allmählich die stunde
des todes heran julia braun erneut gefesselt
geknebelt nackt in der 710. folge
des angstorts beginnen die wölfe zu heulen

Lob den Deserteuren

lob den tapferen die
feige geheißen
den mut haben zu desertieren

lob den mutigen die
feige geheißen
tapfer zu desertieren gewagt

lob den deserteuren die
feige geheißen
mutig sich hatten entschieden

für einen frieden der
feige geheißen
mörder in waffen beschämt

für einen frieden der
feige geheißen
den sold der ehre verdient

Renitenz

die vetternwirtschaft dort in rosenheim
nicht zu verwechseln
mit jener sprichwörtlichen der bayrischen staatsregierung
in den gast- und hinterstuben der macht

geht zurück auf eine sanierungsanstalt
im ersten weltkrieg
wo die gefangenen entlaust wurden und die ausrüstung
der heimkehrenden soldaten desinfiziert

dort auf den grundmauern von garagen
und der autowäscherei
des georg schmid eines leichentransportunternehmers
entstand nach dem zweiten weltkrieg

eine kantine geführt von frau frieda maier
das oberaustüberl
umbenannt nach der wirtin bei da frida wo im jahre
des herrn neunzehnhundertachtzig

der verein für bodenständige kultur e. v.
gegründet wurde
und die umbenennung des oberaustüberl bei da frida
in vetternwirtschaft erfolgte

angekündigt wurde die erste veranstaltung
des vereins in der
vetternwirtschaft mit dem wundersam prächtigen titel
„regierungsfeindlicher hoagaschd“

Blutrot, Mitte der sechziger Jahre

mitte der sechziger jahre
vor mehr als einem halben jahrhundert
im zwanzigsten
brachten wir unsere eigene welt mit
im koffer

leerten ihn an der schwelle
zur schweiz in konstanz am bodensee
wo das konzil gehurt
kauften grenzüber ein ohne zoll
bei migros

unsere aufstände damals
gegen kiesingers pickelhaubenstaat
die notstandsgesetze
die aufgenötigte kirchenmoral wir
rebellen

unter den blutroten fahnen
für eine gerechte gesellschaft und glück
blutrot in leidenschaft
um das autoritäre system das harte
versteinert

zum tanzen zu bringen wir
aufrechten gangs auf dem rücken beladen
mit einem tornister
aus schuld scham und der feigheit
der eltern

unser blutroter widerstand
gezimmert aus orientalischem weihrauch
den kreuzen der buße
ob der beispiellosen mörderorgien
der wehrmacht

*

wir verspeisten die eier
der hühner vom see mit dem fischmehl
gefüttert tranken den
badischen wein verlachten die bullen
auf streife

welche die sperrstunden
des nachts kontrollierten den gastlichen
wirten strafe androhten
blutsüße kirschen verschlangen
wir gierig

die landschaft am see
war unser neues zuhause der himmel
war unser zelt wir
kosteten lippen heimlich die droge
LSD

flogen über die landschaft
leichthin mit schwingenden flügeln
mövengleich überzeugt
dass uns der hegelsche weltgeist
begleitet

dessen gewiss hatten wir
mitgebracht unsere schäbigen welten
die der kindheit der jugend
was wir gelesen und kannten
zum beispiel

theodor w. adorno an dem wir
dahrendorf messen konnten und andere
lehrer des neu gepflanzten
campus am schnittpunkt gelegen
der länder

*

jener nachbarländer österreich
schweiz des großen kantons der überschattet
von laboren für rüstung
in der idylle am plätschernden see
kriegstauglich

wir erkennen im spiegel dass
ein nach hinten zu blicken die sicht uns
verstellt auf das was da
kommt die rußschwarzen schrecken
von heute

wir nico pasero seine frau ulla
ein spross aus dem hause kuby mit freund
jochen aus frankreich
wir genossen von überall her
im aufbruch

blutrot damals die sechziger jahre
das forschwilde aufbegehren unserer jugend
die kraft von rebellen
die proletarische revolution chinas
mao zedong

noch in der gegenwart glimmt sie
die hoffnung die glut heiß unter der asche
die uns damals erhitzte
das blutlicht der morgenröte richtung
neue zeit

blutrot die sonne die aufgeht
frischer orkansturm tobt her aus dem osten
weist kindern den saumpfad
jener verheißung von glück zielfrei am
horizont

Immergrün, ein Gleichnis

Widerrufen wurde die Zulassung
immergrünhaltiger Arzneipräparate
1987 durch das Bundesgesundheitsamt.

nützliches immergrün
heimisch bei uns seit den römern
burggartenflüchtling
bodendecker auf gräbern im friedhof

geschätzt als heilende pflanze
bei krankheit und wunden zu heiter
fröhlichem tanze
ins blondhaar der mädchen gebunden

nützliches immergrün
bodendecker auf unseren gräbern
dessen zulassung
als arznei amtlich widerrufen wurde

gleichnis für das perfide
weil nicht gegen genmais und pestizide
durch die aller leben
bedroht ist für heilendes ein verbot ist

Die Poesie ist so sehr Kind des Himmels,
dass sie sich nie reiner und voller
in ihrem Ursprung fühlt, als wenn sie
sich in Hymnen, im unendlichen All verliert.
Herder

Deutschland exportiert Krieg

Deutsches Narrativ

nach dem kaiserreich
und dem weltkrieg
kurzzeitig die räte
weimarer republik
dann hitler

ordnungsfanantischer aufstieg
der kleinbürger
an der seite von mordgenerälen
die freikorps
dann hitler

der wolf homo homini
lupus frei gegeben
zum abschuss
tötungslager
weltkrieg zwo

das reich kapituliert
durch berlin eine mauer
bis ein teil zerfiel
wieder vereint
im vorkrieg erneut

Das Erbe (Totentanz-Ode)

leichenäcker modernde massengräber
        ausgedörrte sinnlose schrecken grauen
                schwären niemals heilende völkerwunden
                orgien des hasses

herzlos achtlos menschenvernichtend wurden
        einst im dreißigjährigen krieg geschändet
                frauen folter hölle gemetzelt kinder
                aufgeschlitzt wahllos

hugenottenkriege die bauernkriege
        gegen osten kreuzzug um kreuzzug gottes
                segen fürstlich feuerschwert wütend mordrausch
                todesschwadronen

kriege irrwahn schlachthaus europa leichen
        lechfeld rom dünkirchen verdun verbrannte
                erde hastings stalingrad königgrätz ein
                heldenfiasko

schlachtbank wunden offene grabeslöcher
        aus den schädeln löffeln dämonen eiter
                aus den pfützen schlürfen sie kot wie nektar
                greise erschlagen

satans meerabfließende feuergluten
        lassen knochenasche zurück geschwüre
                brechen auf die krankheiten typhus hunger
                töten die schwachen

kröten schlangen natterngezücht und grätze
schwarzlicht weiß des leichentuchs sterbenshülle
schnell verscharrt den würmern zum fraß
verwesend
keine gebete

krieg ist terror kriege sind grausam sinnlos
horch die schlacht bei tannenberg siegermythen
heldenorden hindenburgs grabmal
sprengung
wehrmachtbefohlen

aschenglut vernichtendes nichts verderben
tausend schlachten rasendes leid zerstörung
abertausend leiber geschreddert zermalmt
spaten der hölle

gräbt der schöpfung gierig das grab der missgunst
kreuzesrede schreie des toten christus
stürzend fällt das berstende weltgebäude
in sich zusammen

blutdurchtränkte mohnblumenfelder knochen
splitter schädel dornige grabeshügel
angetreten exekutionskommandos
schüsse dann schweigen

nie mehr kriege nie wieder auschwitz nie mehr
armut kerker oberbefehle kopfschuss
überfälle kindermord kretas dörfer
heillos gemetzel

schädelstätte friedhof europa schandmal
opfert für profite der sehnsucht pulsschlag
wilder sound der totentanzpolka zerstampft
hoffnung auf frieden

neue kriege *cyber war* tod durch drohnen
rüstungsgüter waffenexporte schmuggel
unter panzerketten zermalmt die lehren
aus der geschichte

nur die wörter wurden getauscht jetzt heißt es
friedensauftrag humanitäres handeln
einsatz für die wertegemeinschaft dienen
morden geht weiter

Charaktermaske

einst zeigtest du charakter
        henry maske

geboren im anderen land
mit sieben zu boxen begonnen von hörnlein
        trainiert
in ludwigsfelde betriebssportgruppe motor
mit großen erfolgen in frankfurt/oder als amateur
beim armeesportklub vorwärts
europameister weltmeister olympiagold

einst zeigtest du charakter
        maske

nach neunundachtzig profi im halbschwergewicht
sportler des jahres boxer des jahres krawatten-
träger des jahres goldener löwe goldene
kamera bambi und das bundesverdienstkreuz
filialbetreiber der firma mcdonalds
vorträge über eigenmotivation und
        mitarbeiterführung

einst zeigtest du charakter
        .....

Leistungsgesellschaft

die pannenstatistik des ADAC
war sattsam gefälscht und folglich okay
wen wundert das noch
betrug lohnt sich doch
in der leistungsgesellschaft von D

der abgasfilter meines VW
war sattsam gefälscht und folglich okay
wen wundert das noch
betrug lohnt sich doch
in der leistungsgesellschaft von D

das cum-ex-geschäft der hautevolee
war sattsam gefälscht und folglich okay
wen wundert das noch
betrug lohnt sich doch
in der leistungsgesellschaft von D

der bericht der bank des bankier
war sattsam gefälscht und folglich okay
wen wundert das noch
betrug lohnt sich doch
in der leistungsgesellschaft von D

die promotion eines kanzlers in spe
war sattsam gefälscht und folglich okay
wen wundert das noch
betrug lohnt sich doch
in der leistungsgesellschaft von D

der russland-bericht der ARD
war sattsam gefälscht und folglich okay
wen wundert das noch
betrug lohnt sich doch
in der leistungsgesellschaft von D

die daten in unsrem PC
werden staatlich gehackt und das ist okay
wen wundert das noch
überwachung lohnt sich doch
in der leistungsgesellschaft von D

Europa, Schlachtfeld

europa schlachtfeld
blutgetränkt
von griechenland bis nach verdun
von königgrätz nach stalingrad
zerbombte hütten
der fürsten heitere paläste

europa kolonialmacht
besatzungsgierig
ausbeuterkontinent verrucht
macht euch die erde untertan
mit gottes segen
in dreiteufels namen

europa krebsgeschwür
du eiternder abszess
furunkel dieser menschheit qual
von wo der schrecken kam
kehr heute um
besinne dich des guten

europa werde wach
wach auf
gib dieser welt zurück
was du ihr hast genommen
dir einverleibt
und hinterrücks gestohlen

O+

DEU

europa deine lichten verse
romane dramen
quartette serenaden opern
bilder die skulpturen schenke
der welt zurück
und sühne um verzeihung

Ihr, Dichter der Vorwelt, Ossian und Orpheus,
erscheint wieder! Werdet ihr eure Mitbrüder
erkennen, werdet ihr für die Presse singen und
jetzt in Deutschland gedruckte, rezensierte,
gelobte und elend nachgeahmte Dichter werden?
Herder

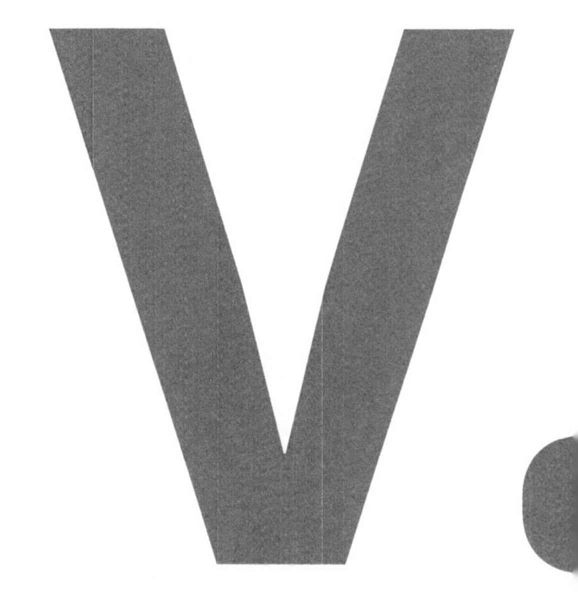

Judas Priest

Rassismus 2.0

als antideutsch getarnt erneuert
sich ein pickelhaubendeutschtum

es sendet friedenstauben aus
es sühnt die lager und den holocaust

die friedenstauben sind bestückt
mit munition die sühne geifert hass

der an der seite von besatzern
die deutschen großmachtträume

weiterträumt vom letzten endsieg
partnerschaftlich mit den nato-geiern

im bankenbunde transatlantisch
verbündet mit der edelhure kapital

an der kritik zu üben sakrosankt
weil seinerzeit die nazi-propaganda

ein rassemerkmal in der geldgier sah
so werden antideutsche selber zu rassisten

indem sie kritiker sie auszumerzen
als ungeziefer denunzieren als ein gift

und twittern wie die alten sungen
wir sind die edelrasse wir die jungen

Schimpf und Schande

schmähworte lauten dieser tage
asylant und armutsplage
lämmerschächter pazifist
dealer roma terrorist

oben auf den rufmordlisten
auch das schimpfwort kommunisten
rote socke roter zeck
autonomer bullenschreck

gleichzusetzen pädophilen
grundschullehrern und senilen
rentnern omas und dementen
die in pflegeheimen enden

ein drohwort ist antisemit
genutzt vor allem und damit
kritik verstummt und schweigt
wenn sie auf die regierung zeigt

die palästinas land besetzt
gegen die muslime hetzt
hochgerüstet bibelfest
todesstreifen bauen lässt

schmach gilt auch dem flüchtlingsheer
das man jagt mit tötungsdrohnen
orbitalen kampfspionen
und ersäuft im mittelmeer

diese flüchtlingsexistenzen
an europas frontex-grenzen
fliehen vor den killerwaffen
die sich solche dort beschaffen

welche mit den reichen ländern
handel treiben statt zu ändern
die strukturen wo sie leben
statt den armen brot zu geben

Kein Blut für Öl

Frei nach dem Gedicht „Todesfuge“ von Paul Celan

schwarzes öl der wüste sie schlürfen es abends
sie schlürfen es mittags und morgens sie schlürfen
es nachts
sie schlürfen und schlürfen
sie schürfen ein grab in den lüften da liegt man
nicht eng
gewalt wohnt im haus sie spielt mit den bomben
befiehlt
befiehlt wenn es dunkelt dem totland
dein goldenes haar margaretchen

befiehlt es und tritt vor das haus und es blitzen
kanonen
sie pfeift die soldaten herbei
sie pfeift ihre juden hervor lässt schürfen ein loch
in den boden
sie befiehlt uns spielt auf nun zum tanz

schwarzes öl der wüste sie schlürfen dich nachts
sie schlürfen dich morgens und mittags sie
schlürfen dich abends
sie schürfen und schlürfen
gewalt wohnt im haus sie spielt mit den bomben
befiehlt
befiehlt wenn es dunkelt dem totland
dein goldenes haar margaretchen

dein aschgraues haar sulamith

sie schürfen ein grab in den lüften da liegt man
nicht eng

sie schreit bombt tiefer ins erdreich ihr einen ihr
anderen singet und spielt
sie drückt auf den mordknopf alles erstirbt ihre
augen sind blau
bombt tiefer ins erdreich ihr einen ihr anderen
spielt weiter zum tanz auf

schwarzes öl der wüste sie schlürfen es nachts
sie schlürfen es mittags und morgens sie schlürfen
es abends
sie schlürfen und schürfen
gewalt wohnt im haus dein goldenes haar
margaretchen
dein aschgraues haar sulamith sie spielt mit den
bomben befiehlt

sie ruft spielt süßer den tod der tod ist ein meister
der nato
sie ruft streicht dunkler die geigen dann steigt ihr
verwest in die luft
dann habt ihr ein grab in den sphären da liegt ihr
nicht eng

schwarzes öl der wüste sie schlürfen dich abends
sie schlürfen dich mittags der tod ist ein meister
der nato
sie schlürfen dich abends und morgens sie
schürfen und schürfen
der tod ist ein meister der nato ihr auge ist blau
sie trifft uns mit bleierner kugel sie trifft uns genau
gewalt wohnt im haus dein goldenes haar
margaretchen
sie hetzt die soldaten auf uns sie schenkt uns ein
grab in der luft
sie spielt mit den bomben und träumet der tod ist
ein meister der nato

dein goldenes haar margaretchen
dein aschgraues haar sulamith

Aufstehen

die welt gerät aus den fugen im streit
liegen die herrscher europas banken
konzernchefs und bürokraten
geben den gellenden ton an

von deutschem boden gehen erneut
kriege aus weltweit medien
politik und gesellschaft
driften nach rechts

öffentlich schreiend die not und die grätze
in den vorstädten verkommen schulen
altenpflege brücken infrastruktur
krank ist die gesundheit

wohnungsnot und das elend der kinder
herrschen verrohung ängste die furcht
vor fremden fressen die seelen
gleichgültig und hartz IV

zum konsummoloch wird die gesellschaft
untermalt und bunt übertüncht
sind ungleich und tödlich
zuständ wie damals in rom

sieh da den verstörenden teppich aus jux
desinformation entertainment
terror facebook und lügen
propaganda und fußball

die privatisierung kennt keine grenzen
zur ware wird nunmehr alles selbst
wissenschaft kunst und kultur
geplündert wird der planet

aus jeder lebensfaser werden profite
gepresst und geschlagen immer
noch reicher werden die reichen
überheblich und kalt

im luxus maßlos und ohne verpflichtung
fürs ganze das volk ihre stiftungen
dienen der pflege des image retten
gewinne vor steuern

reiten den staat fest im karminroten sattel
scheren sich einen dreck die zügel
gestrafft geben sie sporen dem volk
lassen es tanzen

Which future for Europe?
#HertieEU

Neues Europa. Ode

Für Thomas Metscher

die hussitenkreuze erinnern kinder
wo ein krieg wo eine schlacht ein schlachten
stattgefunden pestbeulen schwedenmarter
todesschwadronen

hadesfürst vernichtendes nichts und stumme
qualen schmerzen hilferuf todesängste
wunden trauer eisige nacht des winters
nie wieder sonne

oder nato-streubombenhagel-order
gegen belgrad völkerrechtswidrig tödlich
abwurf von uranmunition geheuchelt
humanitäres

brücken rundfunk werke fabriken menschen
wurden opfer schlachtvieh für scharpings mordplan
transatlantisch freiheitsverbürgt verlogen
schandmal europas

früher deutsch-französische bruderkriege
preußens truppen gegen pariser aufstand
heute freundschaft waffenbrüder bekämpfend
angeblich terror

dessen wurzeln kolonialer herkunft
all die ausgebeuteten knechte sklaven
unterdrückt zum kriegsdienst gezwungen
söldner fremder armeen

ewig schweigend stumm liegt die welt der toten
elend lebend in den favelas hungrig
dürstend krank und untererernährt die kinder
schlachtvieh von morgen

mit ihm todkrank stöhnt das europa sterben
dante leonardo picasso hegel
marx und shakepeare beethoven bach orlando
gretchen faust goethe

ungesühnt der kuss des verräters judas
kriege heißen humanitärer eingriff
meuchelmorde werden belohnt aus größe
banken gerettet

sehnsucht lichtblick lauschen europas lockruf
schönheit schlepper hoch auf dem stier die hoffnung
uferstrände grenzen des schreckens meertief
menschen ertrinken

freiheit frieden glückliche frohe paare
dafür mögen unsere völker kämpfen
künftig ohne kriege befreit gewaltlos
das sei europa

krakau belgrad rom und venedig london
moskau oslo petersburg wien trentino
elbe donau budapest mostar kafka
das ist europa

trier berlin und prag synagogen dome
heidelandschaft meeresstrand alpenvorland
tundra rinder watzmann van gogh cezanne
alles europa

heinrich heine spanier deutsche schweizer
käse bauhaus hamburg madrid stockhausen
holland fussballfanjubel mailands oper
so klingt europa

lauwarm pissig dunkel verarmt verschuldet
schale opferstätte des kapitals und
ausgebeutet hoffnungslos elend bitter
so schmeckt europa

heiter glücklich strahlend jedoch unser wünschen
unser hoffen unserer sehnsucht wille
strahlend lichtvoll hell wie die sonne glänzend
leuchte europa

zeige zukunft künde der welt die botschaft
ohne kriege glücklich zu leben heiter
spende freude frieden des erdrunds menschheit
zukunftseuropa

westwärts transatlantisch in völkerfreundschaft
nicht mehr sklaven washingtons büttel sondern
partner chiles ecuadors castros kuba
glücklich europa

an der seite afrikas russlands chinas
solidarisch eurasiatisch nachbar
allen völkern brüderlich freund genossen
sternkranz europas

Die ältesten Gesetzgeber, Richter der Geheimnisse
und innigsten Gottesdienste, ja endlich
der Sage nach die Erfinder
der schönsten Sachen und Gebräuche
der Sittlichkeit des Lebens waren Dichter.
Herder

Abschied

Im Gedenken an Lothar Bührmann (1946–2019)

der tote sagt man
sei von uns gegangen
hat uns verlassen
kehrt nicht mehr zurück

querte den acheron
den fluss des grauens
der in des hades
reich der toten führt

das totenboot
gelenkt für einen obolus
von charon
der als fährmann rudert

ein fährmann war
der tote auch als freund
begleiter
durch das grauen dieser welt

er war uns freund
er war uns freundlich von
milder art
energisch auch und auch bestimmt

nun lebt er fort
in seinen bildern als künstler
in seinem werk
in seiner bilderfarben kunstmagie

wir schätzen ihn
als freund der uns zu seinen
freunden
machte und zu gefährten uns

der brücken schlug
von seiner wilden bilderkunst
zur großen
literatur zur bücherwelt zu dante

zu dessen göttlicher
komödie worin der dichterfreund
vergil
das ich geleitet durch das jenseitsreich

durch die neun höllenkreise
des infernos und das fegefeuer
zum garten
eden hin zu béatrice ins paradies

freundschaft
ist gunst der freund schafft
kunst
der freundschaft kunst

der tote gab uns rätsel
auf zuweilen lächelte ein
lothar-lächeln
leicht verschmitzt

in filmen in cartoons
acrylgemalten bildern
transparent
hat er die welt

verändert mythen
geschaffen für die
gegenwart
auf eine zukunft hin

den tod hat er
verachtet ihn gehasst
vermaledeit
verflucht in ewigkeit

heut ist der freund
von seinen freunden
getrennt
wir bleiben hier

wir harren aus
im wirren irrenhaus
des kapitals
der tote fehlt uns sehr

wir trauern leise still
wir heulen arge bitternis
wir weinen
uns die augen aus

die augen welche
wenn sie seine bilder
wieder sehn
an mond und sonne

erinnert werden an einen
künstler menschen einen freund
zu desssen
abschied wir versammelt sind

er ist nicht fort
er lebt noch unter uns
als guter geist
als kühner friedensstreiter

hat er gewirkt
der freund ein feind
des militärs
und ihm verdanken wir

die schöne milde
seiner sanften kameradschaft
unvergessen
wie seiner bilder lichtes leuchten

oder wir erinnern
uns an einen capuccino
im theatro
gespräche über gott die welt die kunst

wobei humor uns oft
hinweg geholfen hat über die
schwarzen
klippen die der weltblick düster schaut

du fehlst uns lothar
unersetzbar geworden bist du
mann
und du erwiderst scherzend dann

hörst du die vöglein
im walde der nachtigall
schall balde
balde bist du auch dran

wir werden dennoch weiter
um den großen frieden ringen
dieser welt
bei der erinnerung an ihn

die bilder sind das faustpfand
das er uns den hinterbliebenen zurück gelassen
sie sind
die garantie dass alles leben eine zukunft hat

dass wahre kunst
den umbruch uns verkündet
zwischen
der apokalypse und der utopie

zwischen der zukunft
leuchten und dem barbarentum
in diesem sinne
lasst seiner hoffend uns gedenken

des edlen freundes tod
ist hart und schwer und bitter
doch denkt daran
sein sternbild ist der widder

ein vorbild bleibt die disziplin
des künstlers kraft sein mut und peu à peu
das feurige seiner impulse
servus freund lothar und bis dann

adieu

Kunst, Wahrheit und Politik

Hommage für Harold Pinter

statt abzulehnen
den blutbefleckten preis
den des erfinders
transportfähigen scharfen
schießpulvers auf dem
transportweg

an die feindesfronten
um millionenfach zu töten
so dass kein grashalm
wieder aufsteht wieder wächst
die nachtigall verstummt ist
totenstill

nahm harold pinter
in stockholm den preis entgegen
nicht ohne freilich
vorzurechnen der mehrheit
der politiker ihr interesse
sei gering

an wahrer wahrheit
denn an der macht vor allem
sei ihnen nur gelegen
und an der macht an ihr
der nackten macht
erhaltung

wie jeder weiß von allen
    die sich hier versammelt haben
sagt pinter ist es das muss
    für allen machterhalt
dass nicht die wahrheit
    gültig ist

dass vielmehr unkenntnis
    der wahrheit der menschen eignen
lebens dass finstre propaganda
    und die verlogenen
das sagen haben und die
    lüge herrscht

die invasionen des irak
    mit der behauptung legitim
gemacht dass saddam
    hussein ein massenvernichtungs-
waffenarsenal todbringend
    befehligt

das sei die wahrheit
    hieß es aus dem weißen haus
die wahrheit war es
    nicht ein lügendrahtverhau
ist es gewesen verlogener
    betrüger

als kerker und totalitär
bezeichnete der präsident
der USA herr reagan
das nicaragua der sandinisten
die gegen armut hunger
es wagten

aufzustehn den kampf
zu führen gegen unterdrückung
erniedrigungen knechtschaft
des reagan mörderbanden brachen
brutal den widerstand
des volkes

die USA paktierten sie
machten sich gemein mit militärs
mit diktatoren sie foltern töten
zivilisten mit killerdrohnen verfolgen
den wen immer sie erklärt zu
ihrem feind

durch ihre überfälle starben
unzählige von kindern greisen zivilisten
doch niemand spricht davon
kein kriegsverbrechertribunal
die medien schweigen nicht
die waffen

mit hilfe der sprache wird
    im zaum gehalten das denken denken
überhaupt ist überflüssig
    im wertewesten ruhen sanften gewissens
die befürworter von menschenrechten
    auf kissen

gewissenlos sind ihnen gleich-
    gültig die mehr als vier millionen armen
die jugendlichen mexikaner schwarzen
    zuchthausinsassen ohnmächtig eingelocht
zu hunderttausenden in gottes
    eignem land

auf dem gesamten globus
    dröhnt die mörderische kriegsmaschine
befehlen sie atomsprengköpfen
    tausendfach und herrschen weiterhin
mit lügen falscher auskunft
    über uns

den kolossalen widrigkeiten
    zum trotz sind unbeirrbar wir jedoch
entschlossen die wahrheit
    auszusprechen die wahrheit zwingend
wieder herzustellen die würde
    des menschen

Quittenmund

laubblättriger honigapfel
härchen im nacken

deine früchte gleich
köstlichen birnen

das quittengelee deiner lippen
geerntet im spätherbst

dein gelber mund

Nachricht von der Nähe des Paradieses

ramstein schließen büchel stoppen
schluss mit killerdrohnenmorden

um die willkür mit den mörder-
automaten zu beenden

um gezielte tötung derer
auf der *kill list* zu erschweren

menschenopfer in den ländern
afrikas des nahen ostens

pakistani und afghanen
jemeniten kinder alte

zu vereiteln dass die unrechts-
drohnen zivilisten töten

müssen die relaisstationen
von uns abgeschaltet werden

müssen wir die lenkungsoftware
unterbinden und verhindern

dass die krieger uns vernichten
den planet zugrunde richten

dass mit bomben unterwerfung
sie erzwingen und gehorsam

auf dem globus kriege führen
uns zu lasten feindschaft schüren

fort mit allen supermächten
nuklearem sprengkopffechten

frieden müssen wir erringen
hier auf erden ihn erzwingen

wenn hienieden uns bewusst ist
dass der frieden eine lust ist

dass die zukunft glück bedeutet
wenn vernunft das glück erbeutet

gegen jene die uns schaden
die uns töten uns vernichten

frieden ist kein leeres glückswort
frieden ist ein heller lichtort

ramstein schließen büchel enden
packt das glück mit euren händen

schluss jetzt mit den mordbefehlen
siegen muss der friedensengel

frieden fällt uns nicht vom himmel
die von kriegen profitieren

wollen weiter kriege schüren
nieder mit den profiteuren

mit den waffenexporteuren
generälen die nicht hören

wollen was wir wollen endlich
frieden waffen nieder tanzen

singen bücher lesen reisen
ohne ängste frieden preisen

fordern wir auf transparenten
ramstein schließen büchel enden

schluss mit killerdrohnenmorden
ramstein schließen frieden fordern

keinen euro mehr verschwenden
für die bombe büchel enden

wenn wir kriegern uns verschließen
werden frieden wir genießen

wenn das kriegsgeschwür geheilt ist
wird die welt ein ort der menschen

wenn die kriegsgeschwüre heilen
ist der ort wo menschen weilen

ein planet des singens tanzens
schaffens liebens und des friedens

ein planet der kraftentfaltung
wo wir alle glücklich altern

jeder einzeln sich entwickelt
wie die blüte einer rose

wir zusammen uns umarmen
paradiesisch glücklich friedlich

Unser Schwert

still und harmlos sind die gedichte
    kennen keine rache
    wenn uns andre verletzen
durch hetzen

    gedichte sind still und harmlos

nutzlos wie tatoos sind die texte
    sie ändern nichts
    verbergen wie in katakomben
a-bomben

    texte sind wie tatoos nutzlos

verdrängt werden bilder des schreckens
    der anblick von leichen
    welche kriegsfolgen offenbaren
auf bahren

    bilder des schreckens werden verdrängt

eine stumpfe klinge ist das lied
    verwundet nicht warnt
    dass uns gefahren drohen
durch drohnen

    lieder sind stumpfe klingen

ein schreckschuss ist der song
    nur eine warnung ist er
    dass wir etwas furcht kriegen
vor kriegen

    der song ist ein schreckschuss

dennoch sitzt den herrschenden
    die angst im nacken
    vor liedern texten songs
schreckpistolen

    angst sitzt ihnen im nacken

denn sie fürchten die wahrheit
    sie allein die stille
    wahrheit ist unser schwert
die wahrheit

    die wahrheit fürchten sie

Aus der Mündung der Kanonen
flammen keine poetischen Taten.
Herder

er 2020« sind in voller

Stufe der Propagandaoffe ve. Von Arnold Schölzel

W Stop! US troops GARL

Die Rentenreform treibt wie hier in Marseille Demonstranten auf die Strasse.

Neue Massenproteste in Frankreich

Anti-*Defender*
Protestreime

defender 2020 im osten
geht auf unserer zukunft kosten
wir rufen auf zu protesten
im westen

den NATO-militärstrategen
kommt russland als erz-feind gelegen
auch fernost auch palästina
und china

deutschland ist drehpunkt
nicht unterschieden nicht disjunkt
als hinterland befohlen
den polen

von merkel heißt es sie regiert
wenn sie trumps kriege ungeniert
transatlantisch verbündet
verkündet

die werktätigen massen
sollen ihr folgen aber sie hassen
zerstörung und lüge
für kriege

lasst uns dagegen sein
ob jung ob alt ob groß ob klein
wir fordern entschieden
den frieden

wir grüßen die soldaten
aus der amis vergeigten staaten
willkommen mit appeal
in zivil

uniformträger laden wir ein
zechen mit ihnen burgunderwein
machen sie frank und offen
besoffen

sie zu lagern in einem versteck
nehmen wir ihnen die waffen weg
hören zum ende vom krieg
marschmusik

schwächen ihre kampfmoral
mit lorbeerkränzen und floral
bewerfen kriegstransporte
mit torte

sabotiert die killerdrohnen
den weg versperrt den fahrkolonnen
die militärisch irren
blockieren

zeigt friedenstaubenfahnen
auf wasserstraßen autobahnen
besatzerschikanen
verbannen

die jungs im militärkonvoi
behindern stoppen ganz ohne scheu
die kalte schulter zeigen
den feigen

den reichen rüstungsindustriellen
sich mutig in die schussbahn stellen
die mörderbande stoppen
sich kloppen

leben lassen sich retten
wenn sich die züge verspäten
die schienen besetzen
und ätzen

die sturmfahnen einholen
wenn die panzer-brigaden rollen
keine tapferkeitsorden
kein morden

die kirchenglocken läuten
soll friedensbereitschaft bedeuten
nie wieder kriege
ulrike

lehrer mit den schulkindern
müssen kriegsgemetzel verhindern
kriege statt zu verenden
beenden

um dem frieden zu dienen
malocher an euren maschinen
verweigert allzeit
die arbeit

blutiger kriegsspiele ende
fordern musiker und prominente
rufen uns hinterher
stellt euch quer

auf riesigen breitwandplakaten
zum abschied der fremden soldaten
fordern wir unseren sieg
schluss mit krieg

Anti-*Defender*
Schnaderhüpferl

1\. ... die *Army* bei uns zu Besuch

's manöver defender
ist ein grausamer fluch
es ist nicht willkommen bei –
uns zu besuch

> holeradiria holeradirei
> holeradihopsassa – kriag deaf ned sei'

es kommt das manöver
auf befehl von dem trump
der ist ein halodri und ein –
waschechter lump

> holeradi schluss mit kriag – frieden muass sei'

die ami-armee kommt
zum krieg über 'n teich
wenn du ihr im weg stehst bist –
gleich eine leich'

> holeradi schluss mit kriag – frieden muass sei'

was will denn der yankee
in unserem land
die freiheit verteidigen ist –
nur ein vorwand

> holeradi schluss mit kriag – frieden muass sei'

die ami-armee die
schicken wir z'rück
mit ihren mordswaffen über –
den atlantik

holeradi schluss mit kriag – frieden muass sei'

zu haus in den staaten
herrscht rassenwahn
in de' knäst schwarze nur –
bis obenan

holeradi schluss mit kriag – frieden muass sei'

den amerikanern geht 's um die
beherrschung der welt
um billige ressourcen und den –
reichen ihr geld

holeradi schluss mit kriag – frieden muass sei'

blackrock ist ein schlimmer
vermögensgeldhai
unterstützt angriffskriege und –
manöverei

holeradi schluss mit der – manöverei

gegen manöver und all den
kriegsspielverschnitt
nur ein einziges mittel hilft –
stop it bloc it

holeradi schluss mit der – manöverei

2. ... mit der kriegsgeilen NATO-Befehlshaberei

bei 'm manöver defender
üb'n truppen vom heer
das morden in hohenfels und –
in grafenwöhr

holeradi schluss mit der – manöverei

für die ami-soldaten
schreibt die F. A. Z.
gibt's ein support center –
in garlstedt

holeradi schluss mit der – manöverei

ihre truppen landen
per schiff mit tamtam
in bremen bremerhaven und –
in nordenham

holeradi schluss mit der – manöverei

aus dem fliegerhorst
ramstein wie schon bisher
lenken s' den flug- und den –
drohnenverkehr

holeradi schluss mit der – manöverei

beim defender-manöver
ist auch ulm mit dabei
mit der kriegsgeilen NATO-be- –
fehlshaberei

holeradi schluss mit der – manöverei

die NATO-geschwister
in unsrer EU
geben nach osten zu –
gar keine ruh'

holeradi schluss mit der – manöverei

zum kriege hetzen die
baltischen staaten
das pentagon riecht scho' den –
saftigen braten

holeradi schluss mit der – manöverei

man darf unsern NATO-
partnern nicht trau'n
nicht denen in estland lettland –
und in littau'n

holeradi schluss mit der – manöverei

die regierung in polen ist ganz
danach verrückt
dass man schnellstens sie mit –
raketen bestückt

holeradi schluss mit der – manöverei

der orban in ungarn steht
rechts an der seite
von netanjahu und der demokra- –
tischen pleite

holeradi schluss mit der – manöverei

frau von der leyen strebt
nach einer macht
die europa so stark macht dass –
es wieder kracht

holeradi schluss mit der – manöverei

NATO-bruder ist auch unser
türk' erdogan
der widerspruchslos d' leut –
einsperren kann

holeradi schluss mit der – manöverei

wenn das abendland weiter
in aufrüstung macht
sag'n wir bald nicht gutmorgen –
sondern gut nacht

holeradiria holeradirei
holeradihopsassa kriag deaf ned sei

3. ... unsre Regierung macht schön brav da mit

das U.S.-manöver
ist mörd'risch und shit
und unsre regierung macht –
schön brav da mit

holeradi schluss mit kriag – frieden herbei

's militär ist so krank
wie ein krebsgeschwür
und die metastas'n wuchern –
über gebühr

holeradi schluss mit kriag – frieden herbei

aus der geschichte hab'n wir
gar nichts gelernt
das karzinom krieg ge- –
hört sich entfernt

holeradi schluss mit kriag – frieden herbei

der kriegsfall bedeutet
zusammenbruch
d' regierung reagiert mit 'nem –
notfallkochbuch

holeradi schluss mit kriag – frieden herbei

225

sie füllen uns ab mit *fake*
news und lügen
wir sollen uns ihren be- –
fehlen fügen

holeradi schluss mit kriag – frieden herbei

sie behaupten nassforsch für
den frieden zu sein
und lullen die ganze be- –
völkerung ein

holeradi schluss mit kriag – frieden herbei

ganz plötzlich wächst dir im
schädel ein loch
dank sei den waffen von –
heckler und koch

holeradi schluss mit kriag – frieden herbei

wen verwundert es im
überwachungsstaat
dass der ami die kanzlerin –
abgehört hat

holeradi schluss mit kriag – frieden herbei

die geheimdienste lauschen
und hören uns zu
beim telefonier'n und –
beim rendezvous

holeradi schluss mit kriag – frieden herbei

statt gründlich bei selbigen
auszumisten
liefern s' uns aus an die re- –
trofaschisten

holeradi schluss mit kriag – frieden herbei

angeblich schützen sie die
menschenrechte
in wahrheit aber die na- –
zis und rechte

holeradi schluss mit kriag – frieden herbei

sie nennen es freiheit und
meinen profit
wenn ihr gegner in blut und –
gedärmen kniet

holeradi schluss mit kriag – frieden herbei

sie wundern sich dann über
zunehmenden hass
doch sie selber schüren ihn –
ohn' unterlass

holeradi schluss mit kriag – frieden herbei

pausenlos ist mit der hetz'
gar kein schluss
die medien predig'n den –
hass auf den russ'

holeradi schluss mit kriag – frieden herbei

als erzfeinde gelten uns
putin und xi
von orban hingegen –
reden sie nie

holeradi schluss mit kriag – frieden herbei

sie täuschen das volk und sie
woll'n uns verschaukeln
indem humanität sie als ziel –
uns vorgaukeln

holeradi schluss mit kriag – frieden herbei

Mahner: Computer sollten nicht über den Einsatz militärischer Gewalt entscheiden, sagt Edward Snowden.

»Befreit Assange«: Langjährige Forderung lässt sich auch von bürgerlicher Seite nicht länger ignorieren (London, 13.1.)

dass man uns täglich und
alle vergeigt
hat uns auf wikileak der –
assange gezeigt
[gesprochen: freiheit für julian assange]

holeradi schluss mit kriag – frieden herbei

defender zwanz'g-zwanzig
macht d' menschen ganz krank
durch d' uranmunition und –
durch den gestank

holeradi schluss mit kriag – frieden herbei

die ami-manöver bei uns
sind skandalös
das kriegsspiel ist teuer und für 's –
volk schikanös

holeradi schluss mit kriag – frieden herbei

die kriegsspielereien das nervt
uns schon lang
es riacht nach tod schrecklich von hier –
bis nach pjöngjang

holeradiria holeradirei
holeradihopsassa kriag deaf ned sei'

Rollende Panzer in der Rushhour? Höchstens mal als Nato-Übung, wie hier bei Dresden, Juni 2

ve. Von Arnold Schölzel

o Burgi/dpa

zivile leichen und die kollateral-
toten
gehen aufs konto der minister- –
kriegskokotten

holeradi schluss mit der – manöverei

wir fordern den frieden und
werden aufstehn
von deutschland soll endlich kein –
krieg mehr ausgehn

holeradi schluss mit der – manöverei

4. ... siebenunddreißig-tausend in Uniform

das große manöver
ist ein haufen von scheiß'
den schwodern zwanz'gtaus'nd –
ami-G.I.s

holeradi schluss mit der – defenderei

neuntausend soldaten
sind scho' stationiert
für die sind wir ständig gast- –
geber und wirt

holeradi schluss mit der – defenderei

beim manöver defender
kommen weiter hinzu
achttausend mann aus –
unsrer E.U.

holeradi schluss mit der – defenderei

nu' rechnet mal z'samm' die
zahl ist groß und enorm
sieb'nerdreiß'g-taus'nd –
in uniform

holeradi schluss mit der – defenderei

die nationalgarde du wirst
es nicht glaub'n
kommt auch nach europa zum –
spesen-abstaub'n

holeradi schluss mit der – defenderei

und was wir nicht wissen das macht
uns nicht heiß
weil von so vielem der –
deutsche nichts weiß

holeradi schluss mit der – defenderei

beispielsweis' wäre ganz spannend
zu wissen
wie man uns bettet auf –
ruhekissen

holeradi schluss mit der – defenderei

um kriege zu führen in
unserer zeit
braucht man ein volk das –
dazu bereit

holeradi schluss mit der – defenderei

man sorgt beispielsweis' für kriegs-
stimmungen vor
durch grusel-besorgnis –
vor dem terror

holeradiria holeradirei
holeradihopsassa kriag deaf ned sei'

5. ... gen Russland zur schaurigen Schlacht

beim U.S.-manöver
maschier'n s' gegen ost
woll'n d' russen vergrätz'n und –
tratz'n na prost

holeradi schluss mit kriag – frieden muass hea

an der seite der amis
übt die bundeswehrmacht
den aufmarsch gen russland zur –
schaurigen schlacht

holeradi schluss mit kriag – frieden muass hea

beim manöver defender
schießen s' gezielt absolut
vermeintliche gegner die –
russen kaputt

holeradi schluss mit kriag – frieden muass hea

und tote gibt 's auch noch
in den eigenen reih'n
für die witwen zu hause –
den totenschein

holeradiria holeradirei
holeradihopsassa kriag deaf ned sei'

6. ... und bedroht uns mit Krieg

die kriegsvorbereitung
kommt zu einer zeit
wo vor fünf-a-siebz'g jahr' d' russ'n –
auschwitz befreit

holeradi schluss mit der – manöverei

's manöver gen russland
dauert bis in den mai
am achten fünf-a-vierz'g war der –
weltkrieg vorbei

[Das Ende des Zweiten Weltkriegs und des Faschismus am 8. Mai 1945 war nicht zuletzt dem Einsatz der russischen Roten Armee zu verdanken]

holeradi schluss mit kriag – frieden herbei

die kriegsvorbereitung
gibt dem frieden den rest
ist wie corona wie –
früher die pest

holeradi schluss mit der – manöverei

's manöver gen russland
ist ein eitergeschwür
es verkündet uns drohend den –
krieg vor der tür

holeradi schluss mit der – manöverei

defender zwanz'g-zwanzig
bringt wahrhaftig kein glück
es kost' millionen und be- –
droht uns mit krieg

holeradi schluss mit der – manöverei

wir fordern den frieden und
werden aufstehn
von deutschland soll endlich kein –
krieg mehr ausgehn

holeradi schluss mit der – manöverei

gegen manöver und all den
kriegsspielverschnitt
nur ein einziges mittel hilft –
stop it bloc it

holeradiria holeradirei
holeradihopsassa kriag deaf ned sei'

Nachtrag

am end' hat das virus
defender gestoppt
aber die mordlust –
weiterhin tobt

holeradiria holeradirei
holeradi schluss mit der – kriegstreiberei

Die „junge Welt" berichtet

beifall den gewerkschaftern in berlin
ein lob den kolleginnen und kollegen
der eisenbahnen und verkehrsbetriebe

sie fordern von der bundesregierung
die beteiligung an dem US-manöver
„defender europe 2020" einzustellen

der berliner EVG-landesverband hat
beschlossen „keine militärtransporte
auf den schienen keine truppen- und

waffentransporte an die grenzen" zu
russland im fünfundsiebzigsten jahr
der deutschen weltkriegkapitulation

ein lob den kolleginnen und kollegen
der eisenbahnen der verkehrsbetriebe
in berlin ihnen unser riesiger applaus

*

ihr fernfahrer freunde nehmt das zum
vorbild trucker auf deutschlands auto
bahnen ihr schiffskapitäne auf flüssen

lahm legt die manöver das kriegsspiel
die vorbereitungen auf einen endkrieg
den letzten auf unserem boden europa

es darf nicht sein nie eintreten darf er
der ernstfall dass unser land fremden
interessen kriegerisch zum opfer fällt

dass fremde mächte es zerstören uns
schlachten zur elendswüste machten
felder wälder städte bäche die kanäle

ihr fernfahrer freunde nehmt das zum
vorbild trucker auf deutschlands auto
bahnen ihr schiffskapitäne auf flüssen

noch ist es nicht gänzlich zu spät

SKOLSTREJK FÖR KLIMATET
Merkel

Neues Manifest *for future*

das packeis schmilzt die vögel sterben
die hummeln und das bienenvolk
verstummen ausgetrocknet werden
ackerböden wüstengleich
der planet nur noch profitmaschine
arten sterben welt verwest
die jugend ruft *friday for future*
kämpft für ein neues manifest

schwestern reicht euch die hände
brüder unsren planet
und alles glück der zukunft
erobert widersteht

die seen mikroplastiksuppe
der meeresspiegel jährlich schwillt
das wasser dringt in jede stube
die strände schmutzig *overkilled*
giftig wasser tödlich erblassen
hunger elend ausgelaugt
die welt ein unort und verlassen
für die konzerne ausgesaugt

schwestern reicht euch die hände
brüder unsren planet
und alles glück der zukunft
erobert widersteht

der himmel grau von *engeneering*
die schwarzen wolken taifunschwer
verbrannte städte nach den kriegen
tot zerbombt vom militär
leichen sie verwesen in ruinen
unermesslich schreckens leid
dem kapital sollt ihr nicht dienen
erhebt euch streikt und ruft es weit

schwestern reicht euch die hände
brüder unsren planet
und alles glück der zukunft
erobert widersteht

in afrika die menschen darben
sie flüchten übers mittelmeer
erschöpft sie in den fluten starben
oder hinter stacheldraht
ausgegrenzt geschändet und ermordet
in den lagern totgequält
sie sind ein opfer der verbrechen
sämtlicher lumpen dieser welt

schwestern reicht euch die hände
brüder unsren planet
und alles glück der zukunft
erobert widersteht

um sojafrüchte anzubauen
zur tiermast wälder abgeholzt
damit die rinder und die sauen
exportierbar mit gewinn
die gewässer kippen um zur gülle
gift'ge gase kerosin
sie töten lebenslust gefühle
es herrscht der produktionswahnsinn

schwestern reicht euch die hände
brüder unsren planet
und alles glück der zukunft
erobert widersteht

das CO2 stinkt aus fabriken
aus panzern kampfjets reederein
das militär und krieg belasten
atemwege und zum schein
wird bepreisung angepriesen
kleine leute müssen sparn
sie sollen neue SUVs begrüßen
und selbst nicht mit dem auto fahrn

schwestern reicht euch die hände
brüder unsren planet
und alles glück der zukunft
erobert widersteht

Kli

aschutz

der sonnenpfad zum sozialismus
führt aus dem dunkel in das licht
das ziel heißt nicht retrofaschismus
heißt nicht schuften noch verzicht
frieden all den menschen des planeten
nieder mit der *fake-news*-pest
der freie mensch ist angetreten
kämpft für das neue manifest

schwestern reicht euch die hände
brüder unsren planet
und alles glück der zukunft
erobert widersteht

Eine Zeitungsnotiz lesend

in frankreich haben lese ich aktivisten
mit barrikaden den haupteingang von
blackrock der finanzhyäne abgesperrt
singend die lieder ihrer gewerkschaft

die staatsmacht schlägt mit knüppeln
nieder den protest der demonstranten
die verblutend geprügelt die parolen
skandierten gegen den rentenkürzer

blackrock-freund emmanuel macron
der all den werktätigen die schaffen
in fabriken klinik schulen und büros
bereit zu rauben ist was sie erkämpft

*

ich lese in frankreich haben aktivisten
mit barrikaden den haupteingang von
blackrock der finanzhyäne abgesperrt
singend die lieder ihrer gewerkschaft

ein vorbild sei euch schwester bruder
das dauern und die kampfbereitschaft
die leidenschaft im land der rebellion
im nachbarland im gelben bruderland

geschichte steht nicht still und sie ver
harrt nicht auf den abstellgleisen weil
nichts so bleiben können wird wie es
gewesen das lehrt uns die geschichte

*

wir können die gesellschaft ändern ja
wir sind der kraftpol und die zukunft
weil wir die richtung kennen und das
allergrößte ziel die utopie die träume

die leuchten

für die wir ketten sprengen für die wir
grenzen überwinden und der gebirge
gletscherschluchten überklettern
zersprengend

unsere ketten

verachtend was gewesen

was
einmal war

Dem lieben Deutschland ist alles gleichviel,
wenns in den Zeitungen nur gelobt ist.
Herder

Erläuterungen

Zur Unzeit, gegeigt / Titel

Der Buchtitel erinnert in leicht abgewandelter Form an die literarische Veröffentlichung „Unfeig. Eine Neun-Runen-Fuge, zur Unzeit gegeigt“ von Otto Nebel (1892–1973), ferner an eine ihm gewidmete Werkausstellung gleichen Titels 2013 am Kunstmuseum Bern. Nebel war Maler, Dichter und Schauspieler. Zusammen mit den Künstlern Hilla von Rebay und Rudolf Bauer gründete er 1923 die Künstlergruppe „Der Krater“. Als Antimilitarist musste er 1933 in die Schweiz emigrieren, wo er bis zu seinem Tod in Bern lebte. Seine Werke wurden von den Nazifaschisten als „entartet“ verboten. – Entstanden ist der 25 Texte unterschiedlichen Umfangs umfassende Band „Unfeig“ in den Jahren 1923/24, zum Teil veröffentlicht in der Zeitschrift „Sturm“. Das Besondere an den Texten: Sie und die darin vorkommenden Wörter setzen sich aus neun Buchstaben zusammen, den Vokalen E, I und U sowie den Konsonanten F, G, N, R, T und Z. Aus diesem Buchstabenmaterial entstand streng komponiert eine abstruswitzige Sprachwelt. Eine Kostprobe: „Neun Runen nur / neun nur / nur neun / neun Runen feiern eine freie Fuge nun / Unfug erfriert / Feuer fing Engen / Unfug zerfriert / Enge fing Feuer / neunzig Zentner runtertreten ...“

Herder, Über die Würkung der Dichtkunst / S. 7 und passim

Johann Gottfried Herder (1744–1803) war Dichter, Übersetzer, Philosoph, Kulturhistoriker und Sprachwissenschaftler im Zeitalter der Aufklärung. Die Zitate entstammen seiner Schrift „Über die Würkung der Dichtkunst auf die Sitten der Völker in alten und neuen Zeiten“ (Herders Werke in fünf Bänden, Dritter Band, Berlin und Weimar 1964, S. 195–255). Entstanden aus Anlass einer Preisaufgabe der Bayrischen Akademie der Wissenschaften, wurde die Schrift 1778 mit einer Goldenen Medaille ausgezeichnet und 1781 im ersten Band der „Abhandlungen der Bayrischen Akademie über Gegenstände der schönen Wissenschaften“ veröffentlicht. – Befreundet war Herder u. a. mit Wieland, Schiller und Goethe. Mit Goethe kam es zum Zerwürfnis wegen dessen gegenteiligen Ansichten über die gesellschaftlichen Umwälzungen der Epoche. Uneinig waren beide sich in der Beurteilung der Französische Revolution 1789, die von Herder begrüßt wurde. Herder distanzierte sich auch klar von der Einteilung der Menschen in Rassen, wie sie zu seiner Zeit vorgenommen wurde.

Xenophon / S. 18

Xenophon, geb. ca. 430 v. u. Z. in Athen, gest. 355 in Korinth, war ein Schüler des Sokrates. In die Geschichte ist er eingegangen als Politiker, Feldherr und Schriftsteller.

Yggdrasil / S. 19

In der Mythologie des Nordens ist Yggdrasil der Name einer Esche, die als Weltenbaum den gesamten Kosmos verkörpert.

März 1920, acht Sonette / S. 27 ff.

Am 13. März 1920 haben Teile der Armee gegen die nach der Novemberrevolution entstandene Weimarer Republik und gegen die von SPD, Zentrum und DDP getragene Regierung geputscht. Da die Reichswehr es ablehnte („Reichswehr schießt nicht auf Reichswehr!“), sich gegen die Putschisten zu stellen, flüchtete die Reichsregierung zuerst nach Dresden und dann nach Stuttgart, von wo sie zum Generalstreik aufrief. Es wurde der größte Generalstreik der deutschen Geschichte. „Alle Räder stehen still ...“ wurde wahr. Sämtliche Fabriken und Behörden geschlossen; kein Eisenbahnverkehr, keine Straßenbahnen und Busse, keine Post, keine Telefonvermittlung, keine Zeitungen. In der „Roten Ruhrarmee" waren 50.000 Arbeiter und Sanitätshelferinnen organisiert. Der Putsch brach daher nach wenigen Tagen zusammen. In Berlin kam es zu einem Wiederaufleben der Rätebewegung. In Thüringen, Sachsen und vor allem im Ruhrgebiet wollten die Arbeitermassen den Generalstreik in eine Revolution („Märzrevolution") überleiten. Nun geschah das, was in den Gedenkreden zum Scheitern des Kapp-Lüttwitz-Putsches oft unerwähnt bleibt: die von der SPD geführte Reichsregierung gab der Reichswehr und den Freikorps, die eben noch gegen sie geputscht hatten, den Befehl zum Niederschlagen derer, die sich für eine Arbeiterdemokratie eingesetzt hatten. Es gab in den Kämpfen viele Tote und Verwundete. Schlimmer noch waren die Morde (standrechtliche Erschießungen) der marodierenden Reichswehr- und Freikorps-Soldateska. Der Faschismus zeigte schon 1920 seine hässliche Fratze; viele Soldaten hatten mit weißer Farbe das Hakenkreuz auf ihre Helme gemalt.

Zur Unzeit gegeigt / S. 38 f.
Hans Henny Jahnn (1894–1959) war Schriftsteller und politischer Publizist, Orgelbauer und Musikverleger. Er verstand sich als Antimilitarist, war Gegner von Rassenhass und Todesstrafe. Gewalt, auch gegen Tiere, lehnte er ab. 1934–1946 war er im Exil und lebte als Landwirt und Pferdezüchter auf der dänischen Insel Bornholm.

Renitenz / S. 46
„Hoagaschd" ist die mundartliche Bezeichnung für einen heimeligen Abend mit volkstümlicher Musik.

Charaktermaske / S. 61
Henry Maske, geb. 1964, war DDR-Boxer, der nach dem Beitritt seines Landes zum Geltungsbereich der BRD in den Jahren 1993 zum gesamtdeutschen Sportler des Jahres und sowohl 1995 als auch 1996 zum Boxer des Jahres gekürt wurde. Im Westen erhielt er weitere Auszeichnungen: 1995 und 1996 den Goldenen Löwen, 1995 und 2007 einen Bambi, 1997 die Goldene Kamera, 2001 das Bundesverdienstkreuz.

Kein Blut für Öl / S. 77
Der im heute ukrainischen Czernowitz geborene Lyriker Paul Celan lebte von 1920 bis 1970. Nachdem rumänische und Truppen der NS-Wehrmacht 1941 seine Geburtsstadt besetzt hatten, wurden seine Eltern zunächst in das örtliche Ghetto eingewiesen, dann zur Arbeit in einem Steinbruch gezwungen und schließlich in ein Zwangsarbeitslager deportiert. Celans Vater starb dort an Typhus, seine Mutter erschlagen von einem SS-Aufseher. Das Gedicht „Todesfuge" (1952 erschienen im Gedichtband „Mohn und Gedächtnis") thematisiert die mörderischen Verbrechen der Nazi-Faschisten an den in Deutschland und den überfallenen Ländern lebenden Juden und anderen Minderheiten. – Die freie Nachdichtung erinnert an das Celan-Gedicht und die darin thematisierten unmenschlichen Gräuel der Vergangenheit. Doch soll mit diesem Erinnern an das Unsägliche ins Bewusstsein gerufen werden, dass mörderische Verbrechen auch heute noch gegenwärtig sind und nicht kommentar- und kritiklos hinzunehmen in der Erstarrung ob der erschütternden Frevel der deutschen Vergangenheit.

Neues Europa. Ode / S. 83
Thomas Metscher (geb. 1934) ist ein bedeutender philosophischer Denker und Literaturwissenschaftler. Verankert in der Tradition des Marxismus als einer wissenschaftlichen Methode der Kritik und Analyse, gehört Metscher gegenwärtig zu den in Deutschland und Europa wenigen Theoretikern, die dem politischen Denken und Handeln eine neue Zukunft zu weisen vermögen. Zu Metschers überragenden Werken, aus denen auch das Gedicht „Neues Europa. Ode" Bilder und Hoffnungen schöpft, gehören: Pariser Meditationen. Zu einer Ästhetik der Befreiung (Wien 1992; Kassel 2019); Ästhetik, Kunst und Kunstprozess. Theoretische Studien (2013); Integrativer Marxismus. Dialektische Studien (Kassel 2017). Ich verbinde die Widmung mit Grüßen einer späten und beglückenden Freundschaft sowie dem Wunsch, dass wir oder wenigstens unsere Kinder es erleben werden: „freude frieden des erdrunds menschheit / zukunftseuropa".

Kunst, Wahrheit und Politik / S. 96 ff.
Harold Pinter (1930–2008), der britische Theaterautor und Regisseur, hat für Theater, Hörfunk, Fernsehen und Kinofilme geschrieben. „Kunst, Wahrheit und Politik" lautete der Titel jener Rede, die er bei der Verleihung des Literatur-Nobelpreises 2005 gehalten hat. Pinters Nobelpreis-Rede verurteilte den völkerrechtswidrigen Krieg der USA gegen die Revolution der Sandinisten in Nicaragua sowie den ebenfalls völkerrechtswidrigen Irak-Krieg. Die Invasion des Irak sei ein Banditenakt gewesen, ein Akt von unverhohlenem Staatsterrorismus, der die absolute Verachtung des Prinzips von internationalem Recht demonstriert habe. Die Medien hätten die verbrecherischen Kriege ihrer Regierungen gedeckt: „Die Invasion war ein willkürlicher Militäreinsatz, ausgelöst durch einen ganzen Berg von Lügen und die üble Manipulation der Medien und somit der Öffentlichkeit; ein Akt zur Konsolidierung der militärischen und ökonomischen Kontrolle Amerikas im mittleren Osten unter der Maske der Befreiung, letztes Mittel, nachdem alle anderen Rechtfertigungen sich nicht hatten rechtfertigen lassen. Eine beeindruckende Demonstration einer Militärmacht, die für den Tod und die Verstümmelung abertausender Unschuldiger verantwortlich ist. Wir haben dem irakischen Volk Folter, Splitterbomben, angereichertes Uran, zahllose willkürliche Mordtaten, Elend, Erniedrigung und Tod gebracht und nennen es ›dem mittleren Osten Freiheit und Demokratie bringen‹. Wie viele Menschen muss man töten, bis man sich die Bezeichnung verdient hat, ein Massenmörder und Kriegsverbrecher zu sein? Einhunderttausend? Mehr als genug, würde ich meinen. Deshalb ist es nur gerecht, dass Bush und Blair vor den Internationalen Strafgerichtshof kommen." (Quelle: https://www.nobelprize.org/prizes/literature/2005/pinter/25626-harold-pinter-nobel-vorlesung/

Nachricht von der Nähe des Paradieses / S. 102 ff.
Das Gedicht erwähnt Ramstein (Ramstein Air Base) und Büchel. – Ramstein Air Base liegt im Bundesland Rheinland-Pfalz, zehn Kilometer westlich von Kaiserslautern. Es handelt sich um einen Militärflugplatz der US-Luftwaffe Air Forces. Stationiert ist dort außerdem das Hauptquartier der US Air Forces in Europa, der US Air Forces in Afrika sowie das Hauptquartier des Allied Air Command, einer Nato-Kommandobehörde

zur Befehligung der Luftstreitkräfte. Von Ramstein aus werden die Planung und Steuerung der Kampfdrohnen-Einsätze im Irak und Jemen sowie in Afghanistan und Somalia, ferner die Drohnenangriffe in Pakistan koordiniert. Die Air Forces nutzen Ramstein außerdem als Drehscheibe für Fracht- und Truppentransporte sowie als Ziel von Evakuierungsflügen für Verwundete und Kranke, die im größten US-amerikanische Lazarett außerhalb der Vereinigten Staaten, dem Landstuhl Regional Medical Center, behandelt werden. – Büchel liegt ebenfalls in Rheinland-Pfalz. Hier handelt es sich um einen Fliegerhorst der Luftwaffe der Bundeswehr, wo US-Atomwaffen gelagert werden. Im Rahmen der innerhalb der NATO vereinbarten „nuklearen Teilhabe" werden in Büchel Jagdbomberpiloten ausgebildet. Sie unterliegen dem Befehl, im Kriegsfall Atombomben mit Bundeswehr-Tornados ins Zielgebiet zu fliegen und abzuwerfen.

Anti-Defender. Protestreime / S. 111 ff.
Die Protestreime wenden sich gegen das Großmanöver US-Defender-Europe. Defender wurde langfristig vorbereitet und startete im Februar 2020. Bei der geplanten überdimensionalen Militärdemonstration war beabsichtigt, 37.000 Soldaten in provozierender Weise an die Grenze zur Russischen Föderation zu schicken. 20.000 davon wurden zu diesem Zweck samt Ausrüstung und schwerem Gerät per Schiff und Flugzeug aus den USA über den Atlantik nach Europa in Marsch gesetzt. Weitere 9.000 teilnehmende GIs sind bereits in der Bundesrepublik dauerstationiert und kaserniert. 8.000 Nicht-US-Soldaten rekrutierten sich aus Armeen in den Ländern der EU. Infolge der im März 2020 auch im Manövergebiet sich ausbreitenden Corona-Pandemie waren bei der Durchführung der Manöverplanungen Abstriche zu verzeichnen.

Anti-Defender. Schnaderhüpferl / S. 115 ff.
Schnaderhüpferl sind Spottgesänge. Sie bestehen aus einer vierzeiligen Strophe. Die zweite und vierte Zeile reimen sich. Nach jeder Strophe wird wiederkehrend eine Art Jodler gesungen. – Das Wort Schnaderhüpferl lässt sich in seiner Bedeutung zurückführen auf „Schnat" und „hüpfen". Schnat ist wortverwandt mit „schneiden" und zeigt an, dass die Lieder bei der Ernte auf den Getreidefeldern von den mähenden Schnittern gesungen wurden. Hüpfen ist eine Springbewegung beim Tanz. Es ist also vorstellbar, dass die Schnaderhüpferl ursprünglich von tanzenden Feldarbeitern beim Erntedankfest gesungen wurden. Beheimatet sind die Schnaderhüpferl in Süddeutschland und im benachbarten Österreich, wo sie Gstanzl heißen (aus dem Italienischen: „la stanza" = die Strophe). Entstanden sind sie Ende des 18. Jahrhunderts, also zur Zeit der Aufklärung und der französischen Revolution. Daher ist es nicht verwunderlich, dass viele Schnaderhüpferl oder Gstanzl die Obrigkeit, damals die Würdenträger aus dem weltlichen oder geistlichen Adel, „derbleckten", d. h. verspotteten. Schnaderhüpferl sind eine volkstümliche Art des Widerstands, der Auflehnung, des Protestes. Sie sind so gesehen auch heute politisch hochaktuell. Die verbreitete Spott-Abstinenz aus Gründen der political correctness ist bemüht, diese Art der Kritik im Interesse herrschaftlicher Affirmation zum Schweigen zu bringen.

Zum Autor und Bildmonteur

Rudolph Bauer ist im vorliegenden Band als Schriftsteller und Bildender Künstler vertreten. Die hier veröffentlichten neuen Gedichte und Bildmontagen sind Ausdruck seines gesellschaftlichen Engagements als Kulturschaffender. Die kritischen Maßstäbe bei der literarischen und künstlerischen Arbeit verdankt Bauer v. a. der politischen und akademischen Sozialisation durch die Studentenbewegung sowie als philosophisch geschulter Sozial- und Politikwissenschaftler, der sowohl praktisch als auch in der universitären Lehre und Forschung tätig war.

Bauers politische Sozialisation war zunächst geprägt von der 'Normalität' des militaristischen Wahnsinns der Zeit ab 1939 – seinem Geburtsjahr – sowie von der für die westdeutsche Nachkriegsgesellschaft bezeichnenden „Unfähigkeit zu trauern" (Alexander Mitscherlich). Die so genannten Mitläufer des NS-Regimes hatten angeblich keine Ahnung von den Verbrechen des Hitlerfaschismus. Ihre Mitschuld und Mittäterschaft leugneten und verdrängten sie. Im gesellschaftlichen Milieu scheinbarer Unbescholtenheit des Kleinbürgertums der katholisch geprägten Oberpfälzer Industriestadt Amberg waren für Bauer besonders jene Eindrücke entscheidend, die in den 1950er Jahren zunehmend mehr Licht auf die Tatsachen der damals jüngsten deutschen Vergangenheit warfen.

Dem Bewusstsein des Schülers und Jugendlichen prägten sich ein: die Spuren des Zweiten Weltkrieges und der Kriegsverbrechen, die dem „Führer" ergebene Massenhysterie, die Erinnerungen und Zeugnisse des deutschen Militarismus und Nazifaschismus, Rassismus, Antisemitismus, Fremdenhass und die Verfolgung von Minderheiten, Konzentrationslager und Zwangsarbeit. Während seiner Schulzeit waren es überwiegend ehemalige Nazis, die unterrichteten, Recht sprachen, als Beamte und Polizisten für „Ordnung" sorgten und das KPD-Verbot exekutierten.

Als Schüler in den Ferien und als Werkstudent lernte Bauer früh das Leben der lohnabhängigen Werktätigen kennen: auf dem Bau, bei einer Dachdeckerfirma, als Kran- und Lkw-Fahrer. In den 1960er Jahren war für ihn die Erfahrung der antiautoritären und Studentenbewegung prägend: das Aufbegehren gegen die Notstandsgesetze, der Protest gegen die Remilitarisierung und gegen den Vietnamkrieg, der Rassismus in den USA, das Abtreibungsverbot des § 218, die autoritären Strukturen an den Universitäten und in den Verwaltungen, in der Heimerziehung und bei der Obdachlosenunterbringung.

Gleichzeitig entstanden aus und im Zusammenhang der kämpferischen Kritik neue Erkenntnisse, Perspektiven und Institutionen: die Kritik der bürgerlichen Wissenschaft sowie die Rezeption von Marx und Engels, die Befreiung der repressiv konditionalisierten Sexualität, antiautoritäre Kinderläden, die Abschaffung der Heimerziehung, Reformen an den Hochschulen und Universitäten, die Forderung einer Wissenschaft „im Dienste des Volkes", für die Rechte von Minderheiten, an der Seite der Befreiungsbewegungen in der Dritten Welt.

1972 wurde Bauer, nach der Wahrnehmung einer Vertretungsprofessur auf dem Lehrstuhl des Verbändeforschers Heinz Josef Varain an der Universität Gießen, an die Universität Bremen berufen. Die damals neu gegründete Universität galt aus Sicht der gesellschaftlich beharrenden Kräfte als „Rote Kaderschmiede". Die Bremer Universität zeichnete sich in ihren Gründungsjahren aus durch die Prämissen der Verbindung von Theorie und Praxis, des forschenden Lernens und des Projektstudiums. Während seiner Bremer Zeit war Bauer vorübergehend auch im Ausland tätig: am Fremdspracheninstitut der Universität Beijing in China sowie als Fellow in Philanthropy an der Johns Hopkins University in Baltimore in den USA.

Bei Bauers akademischer Sozialisation kristallisierten sich als deren fachliche Kernbestandteile die Politische Wissenschaft, die Philosophie und die Soziologie heraus. Vorgeschaltet waren ein abgebrochenes Studium der (Schul-)Medizin in München sowie journalistisches Arbeiten in Amberg, Sulzbach-Rosenberg und Erlangen, zunächst als Freier Mitarbeiter, dann als Volontär in Lokalredaktionen. Der Journalismus war eines seiner Arbeitsfelder, die während des Studiums ihre Fortsetzung in der Tätigkeit als Redakteur bei der Frankfurter Studentenzeitung Diskus und als Mitarbeiter von konkret fanden.

Zu den akademischen Lehrern Bauers gehörten in der Politischen Wissenschaft Waldemar Besson und Wolf-Dieter Narr (Erlangen und Konstanz), in Philosophie und Sozialwissenschaften die Frankfurter Vertreter der Kritischen Theorie, Theodor W. Adorno, Jürgen Habermas und Claus Offe, sowie die Erlanger Methodischen Denker Wilhelm Kamlah, Paul Lorenzen, Kuno Lorenz und Jürgen Mittelstraß.

Neben seinem Hauptberuf als Professor für Wohlfahrtspolitik und Soziale Dienstleistungen ist Bauer seit den 1950er Jahren als Bildender Künstler sowie als wissenschaftlicher und literarischer Autor tätig. Sein erster von inzwischen neun Gedichtbänden erschien 1986. Künstlerische Unterweisungen erhielt er durch den Maler Michael Matthias Prechtl in Nürnberg. Die erste einer Reihe von öffentlichen Ausstellungen seiner Bilder wurde 1983 gezeigt. Zuletzt waren Bauers militarismuskritische Bildmontagen 2016 im Frankfurter Club Voltaire und 2017 im Berliner Anti-Kriegs-Museum ausgestellt.

Das wissenschaftliche Fundament von Bauers politischer Poesie und seinen gesellschaftskritischen Bildmontagen beruht auf der Beschäftigung mit Themenfeldern seiner sozial- und politikwissenschaftlichen Schwerpunkte. In Lehre und Forschung widmete er sich v. a. gesellschaftlichen Randgruppen (Obdachlose, Sinti und Roma, Asylsuchende, Junkies, Strafgefangene), den Wohlfahrtsverbänden (Geschichte, Ideologie, Struktur, Adressaten und Arbeitsbedingungen), Nongovernmental und Nonprofit-Organisationen, der Sozialgeschichte, der Vergleichenden und der NS-Sozialpolitik sowie der Dienstleistungsthematik. Seine aktuellen wissenschaftlichen Veröffentlichungen behandeln die Rolle der Bertelsmann-Stiftung, die Telematik im Gesundheitswesen, Militarisierung und Kriege im 21. Jahrhundert, den Retrofaschismus, die Instrumentalisierung des Antisemitismus sowie China. Siehe www.rudolph-bauer.de.

Auszüge aus Pressestimmen zur politischen Lyrik von Rudolph Bauer

„Wehret den Anfängen!" lautet eine bekannte Warnung vor der Heraufkunft politischen Unheils. Rudolph Bauer widersetzt sich nicht nur den unheilvollen „Anfängen" von heute, er legt auch ihre heillose Vorgeschichte frei. Sein schriftstellerisches Amt ist die Aufklärung, die wir dringend brauchen, seine Stilmittel sind vielfältig und einfallsreich. Virtuos schlägt er eine Brücke vom mittelalterlichen Lyriker Walther von der Vogelweide in unsere Gegenwart und stellt die um sich greifende politische Inhumanität bloß: „aus ihren wunden bluten frieden und recht". An der Stelle konsequenter Wahrung des Friedens und des Rechtes erblickt Bauer scharfsichtig eine wachsende Kriegsgefahr und Rechtsbrüche. Eine lesenswerte Sammlung engagierter Gedichte! *Gert Sautermeister in BLZ*

Rudolph Bauer hat einen aufrüttelnden, fulminanten Gedichtband vorgelegt. Er verfährt operativ, das heißt: die Texte sind auf einen konkreten Anlass bezogen, der eine politische Analyse oder Position geradezu provoziert. Die Analyse erfolgt aber nicht diskursiv, sondern lakonisch verdichtet, um so besonders wirksam zu sein. *Jürgen Pelzer in junge Welt*

Bauer wartet mit zeitgemäßen Preziosen eines Genres auf, das Ästhetik und Politisierung zu verbinden trachtet. Sein Gedichtband versammelt aktuelle Einlassungen zu Extremismus und Pazifismus, Politiker- und Medienjargon. Seine Gedichte begleiteten die Geschichte der Arbeiterbewegung auch in formaler Hinsicht trefflich: kurz, konkret und einprägsam. Dabei durchzieht der kritische und aufklärerische Grundgestus die lakonischen Reflexionen auf denkbar unaufdringliche Weise. *Hendrik Werner in Weser-Kurier*

Die Gedichte, die Rudolph Bauer zusammengestellt hat, sind mit einer gewissen Strenge einem zentralen Motiv untergeordnet, der Erhaltung von Frieden. Sie enthalten zugleich viele scharfe Beobachtungen und oft die Aufforderung, den Feinden von Frieden zu widerstehen und zu handeln. *Arnold Schölzel in RotFuchs*

Die Texte Rudolph Bauers füllen nicht zuletzt eine Leerstelle aus und schließen die deutsche Literatur an Bewegungen an, die an geschichtlich-politischer Bedeutung und ästhetischer Kraft weit über dem Niveau der hierzulande akkreditierten Literatur stehen. Es sind andere Stimmen die bleiben werden. Ihnen gehört auch die Stimme Rudolph Bauers zu. *Thomas Metscher in Marxistische Blätter*

In seinen Versen erweist der Autor sich als strenger Moralist und Aufklärer. Seine Argumentation ist sprachlich jedoch von so geschliffener, scharfer Eleganz und Überzeugungskraft, dass er den erhobenen Zeigefinger nicht nötig hat. Seine direkten Aufrufe zum Widerstand sind von eigener poetischer Kraft. Er will deutlich machen, dass die gesellschaftlichen und politisch-ökonomischen Verhältnisse nur durch schonungslose Erkenntnis und Darstellung der Realität überwunden werden können. *Arn Strohmeyer in KulturNetz*

Bei Rudolph Bauer trifft man auf echte politische Lyrik, die nicht weichgespült ist. Thematisch ist das Buch sehr vielfältig, geht aber immer vom Denken der Friedensbewegung aus. Das Schwergewicht liegt auf Gedichten gegen den Krieg und gegen die Rüstung und Waffenexporte. *Christian G. Pätzold auf kuhlewampe.net*

Bauer kennt die Formen, auch die schwierigen. Den Haiku, Distichen, Aphorismen und Sonette. Er klopft sie ab auf ihre Eignung, aktuelle Vorgänge und Schlussfolgerungen zu transportieren. Und füllt die alten Formen mit alten und neuen Worten, die haltbar genug sind, Bedeutung zu tragen und vom Einzelnen zum Ganzen zu kommen. *Bernd Redlich in Unsere Zeit*

Der Autor will mit seinen Gedichten anklagen, aufrütteln, entlarven. Er deckt die mit Worten und in Reden oft verschleierte kapital-, imperial- und militärisch-kriegerisch orientierte Politik auf. Ähnlich wie die Säure bei der Herstellung einer Radierung, so geht er der uns umgebenden, geheuchelten oder verklärenden Politik „ätzend" auf den Grund. Seine Lyrik legt offen, worum es in Wirklichkeit geht. Sie ist aufklärerisch. *Hartmut Drewes in Ossietzky*

Der Gedichtband ist ein literarischer Beitrag des Autors Rudolph Bauer für die Belange einer demokratischen Politik der Freiheit, des Friedens, der Gerechtigkeit, des Internationalismus und der Solidarität. *Gerhard Pfannendörfer in Sozialwirtschaft aktuell*

Die Gedichte von Rudolph Bauer sind unentbehrlich fürs ideologiekritische Innehalten – um dann weiterzumachen: informierter und wacher als ohne sie, wahrnehmungsbereiter und präziser als zuvor. Damit vollzieht sich in den Gedichten wie beim Lesen ein Prozess, der von Tag zu Tag wichtiger wird: wieder präzise zu werden bei der eigenen Wahrnehmung und Analyse von gesellschaftlich-politischer Wirklichkeit. Lyrik ist brauchbar, für Alltag und Politik, fürs Wahrnehmen und Verstehen, und sie kann dennoch Lyrik bleiben und gerade deswegen Lyrik. Ausgezeichnete Lyrik sogar! *Holdger Platta auf Hinter-den-Schlagzeilen.de*

Leser des Autors Rudolph Bauer müssen ziemlich tapfer sein: Seine Spezialität ist die lyrische Auflistung von Not und Elend, die bekanntlich überall in der Welt reichlich vertreten sind. Lichtgestalten? Doch, die gibt's tatsächlich auch; Bauer zählt sie auf: von Walther von der Vogelweide über Petra Kelly bis hin zu Edward Snowden. *Rainer Mammen in Kurier am Sonntag*

Auszüge aus Pressestimmen zu den Bildmontagen von Rudolph Bauer

Rudolph Bauers Arbeiten gehen spielerischer mit dem Bildmaterial um, verschmähen die surreale Pointe nicht, regen die Phantasietätigkeit der Betrachter an, verdecken nicht, wie sie gemacht sind und verfremden doch die Wirklichkeit bis zu ihrer Kenntlichkeit, wie es Ernst Bloch für das „Prinzip Montage" formulierte. Bauer montiert noch handwerklich, die Bruchkanten bleiben sichtbar, Glättung und Foto-Ähnlichkeit werden nicht angestrebt. Er bezieht Abbildungen von Gemälden und Grafiken mit ein, was seinen Bildmontagen eine weitere historische und ästhetische Tiefendimension verleiht. Da ist dann der Vergleich mit der hohlen Schönheit von Werbe- und Mode-Models, die er oft kontrastierend ins Bild setzt, besonders krass. Neu ist bei Rudolph Bauer, dass er dem „schönen Schein" gewissermaßen ein Eigengewicht, ein Eigenrecht belässt bei aller ironischen Brechung oder polemischen Destruktion. Seine Themen sind die alten Themen der politischen Fotomontage: Oben und unten, die Verhältnisse der Klassen, der Krieg und seine Profiteure. Ein Schwerpunkt liegt auf der Militarisierung der Gesellschaft und der heute alles überziehenden, flächendeckenden Warenästhetik. Beides wird in eine spannungsreiche Beziehung gesetzt. *Reiner Diederich in BIG Business Crime*

Besonders die neuesten Verpackungen des industrialisierten Mord- und Totschlaggeschäftes beschäftigen die gestalterische Phantasie des Autors der Collagen. Die Relativierung durch »Normalisierung«, die Einbettung nicht nur von Journalisten in Feldzüge, sondern die Darstellung von Militär und Töten als Job oder Betrieb wie »jeder andere« sowie die dafür genutzten PR-Plattheiten sind offenkundig die wichtigste Anregung für Bauers Arbeiten. Immer wieder aber treten Insignien des Militärs – schwere Handfeuerwaffen, Panzer, Kampfflugzeuge – und Bilder aus vergangenen Kriegen, die wieder gegenwärtig sind, zusammen mit Models beiderlei Geschlechts, vor allem aber Frauen, in den Vordergrund. Krieg ist nicht mehr mit Appell an Vaterland, an Nation oder Volk verbunden, sondern mit modisch gekleideten jungen Leuten. Der Tod auf dem Schlachtfeld grinst nicht mehr nur als Gerippe, er lächelt leer wie auf dem Laufsteg. *Arnold Schölzel in junge Welt*

Die Bild-Bild-Bezüge in Bauers Montagen basieren auf Materialien, die den Alltag visuell bestimmen: vor allem auf Fotos, Grafiken, Werbung und anderen Druckerzeugnissen, wie sie in Zeitungen, Zeitschriften, Bildbänden, Prospekten, Katalogen, Plakaten oder im Internet veröffentlicht werden. Bauer will mit seinen Antikriegscollagen auf kritische, satirische oder karikaturistische Weise Stellung beziehen, intervenieren, provozieren, Gewohnheiten in Zweifel ziehen und Veränderungen anmahnen. Er ist bestrebt, mit seinen Bild-Montagen die Ästhetisierung, Verharmlosung und Veralltäglichung des Militärischen zu entlarven. Es ist der Versuch, auf künstlerische Weise – dialektisch-überraschend, verfremdend, subtil oder plakativ – den Prozess der Militarisierung und die Schrecken des Krieges in das „visuell zugemüllte" Bewusstsein zu heben, um auf diese Weise womöglich Denk- und Veränderungsprozesse in Gang zu setzen. *Rolf Gössner in Ossietzky*

Aus gegebenem Anlass

Rudolph Bauer
Thomas Metscher

Gedichte und Essay

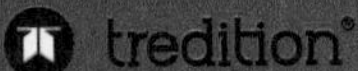

Aus der Verlagsankündigung:

Seit dem Ende der Aufklärung hatte die kulturelle Elite in Deutschland lange ein äußerst problematisches Verhältnis zum Politischen. Das zeigte sich nicht zuletzt in der abschätzigen Einstellung zu politischer Kunst. Dennoch gibt es im deutschen Sprachraum die Tradition engagierter Literatur, auch politischer Lyrik. Sie geht zurück auf das hohe Mittelalter, die Reformationszeit sowie auf die Arbeiter- und die Friedensbewegung. Für die Bundesrepublik lassen sich Erich Fried und Franz Josef Degenhardt nennen, für die DDR Franz Fühmann, Peter Hacks, Heiner Müller und Volker Braun.

Rudolph Bauers Gedichtband ist vielfach mit dieser Tradition verbunden. Bereits der Titel Aus gegebenem Anlass gibt die operative Programmatik vor. Formal und inhaltlich schließen die Gedichte an klassische Vorbilder der situationsgebundenen Dichtung an: in ihrer Prägnanz und dem packenden Zugriff des Verfahrens, der Einfachheit und Konkretion von Stil und Strophenform. „Es ist eine Einfachheit, die die Komplexität einschließt", bemerkt Literaturwissenschaftler Thomas Metscher in einem erklärenden Essay am Schluss des Gedichtbandes.

Bauers Poesie verbindet Gegenwärtiges und Vergangenes. Treffend verweist Metscher darauf, wie ungebrochen die in den Texten zum Ausdruck gebrachte Macht der Tradition hineinwirkt in unsere Gegenwart. Dieser Gesichtspunkt berühre das Herzstück der Texte: „Immer wieder und immer neu geht es um die Gegenwart des Vergangenen: die Kontinuität von Militarismus, imperialer Gewaltpolitik und die Rolle der Ideologien in ihnen; von Kolonialismus, Faschismus, ihrer Restauration in der Bundesrepublik Deutschland."

Es geht aber nicht nur um das Hier und Jetzt der deutschen Gegenwart als Wiederkehr von Vergangenem. Die lyrische Bedeutung der Gedichte erschließt grenzüberschreitend Bilder und Gedanken sowohl aus dem Erfahrungsarchiv anderer Kulturen als auch des Zukünftigen. Indem die utopische Dimension aufscheint, überwindet politische Dichtung das Hier und Jetzt.

ISBN: 978-3-7469-7155-1 (Paperback)
ISBN: 978-3-7469-7156-8 (Hardcover)

Impressum

CIP-Titelaufnahme der Deutschen Bibliothek
Rudolph Bauer
Zur Unzeit, gegeigt

Gestaltung und Satz:
Tizian Bauer – ansichtsache.com

Verlag und Druck:
tredition GmbH, Halenreie 40–44, 22359 Hamburg

978-3-347-06297-9 (Paperback)
978-3-347-06298-6 (Hardcover)
978-3-347-06299-3 (e-Book)

Bibliografische Information der Deutschen Nationalbibliothek:
Die Deutsche Nationalbibliothek verzeichnet diese Publikation in der Deutschen Nationalbibliografie; detaillierte bibliografische Daten sind im Internet unter http://dnb.d-nb.de abrufbar.